TEN WAYS TO HEAR SNOW
DIEZ MANERAS DE ESCUCHAR LA NIEVE

Written by CATHY CAMPER   Illustrated by KENARD PAK

Escrito por CATHY CAMPER   Ilustrado por KENARD PAK   Traducido por ROSSY EVELIN LIMA

Kokila

To all my Lebanese family, especially my Lebanese
aunties, who encouraged my love of books.
–C. C.

To my dear aunt, Joung Ok Song.
–K. P.

A mi familia libanesa, especialmente a mis tías libanesas,
quienes alentaron mi amor por los libros.
–C. C.

A mi querida tía, Joung Ok Song.
–K. P.

KOKILA
An imprint of Penguin Random House LLC, New York

First published in the United States of America by Kokila, an imprint of Penguin Random House LLC, 2020
This edition published 2022

Text copyright © 2020 by Cathy Camper | Illustrations copyright © 2020 by Kenard Pak
Translation copyright © 2022 by Penguin Random House LLC
Bilingual edition, 2022 | Original English title: Ten Ways to Hear Snow

Visit us online at penguinrandomhouse.com.

Library of Congress Cataloging-in-Publication Data is available.

Manufactured in China

Special Markets ISBN 9780593531334
Not for resale

5 7 9 10 8 6 4
RRD

Design by Jasmin Rubero
Text set in Aleo
The art for this book was created digitally.

This Imagination Library edition is published by Penguin Young Readers, a division
of Penguin Random House LLC, exclusively for Dolly Parton's Imagination Library,
a not-for-profit program designed to inspire a love of reading and learning, sponsored
in part by The Dollywood Foundation. Penguin's trade editions of this work are
available wherever books are sold.

When Lina woke up, everything was quiet.

Cuando Lina despertó, todo estaba en silencio.

No cars honked.
    No buses chugged.
        No garbage trucks gulped trash across the street.

Ningún carro tocaba el claxon.
    Ningún autobús traqueteaba.
        Ningún camión de basura devoraba desperdicios al otro lado de la calle.

SNOW!

¡NIEVE!

Last night's blizzard was gone, leaving the city muffled and white.

La tormenta de anoche se fue, dejando a la ciudad callada y blanca.

But today was grape leaf day, when Lina would help her grandma make warak enab. Sitti was losing her eyesight, and Lina loved helping her cook.

"I want to tell Sitti about the snowstorm and make sure she's OK."

Pero hoy era día de la hoja de parra, cuando Lina ayudaría a su abuela a hacer warak enab. Sitti estaba perdiendo la vista, y Lina amaba ayudarla a cocinar.

—Quiero contarle a Sitti sobre la tormenta y asegurarme de que esté bien.

"The snow's so deep!" Lina's mom said.
"We could go with you," Lina's dad offered.
But Lina wanted to go to Sitti's by herself.
"Stay warm, habibti," her dad told her.
Lina bundled up.

—¡La nieve está muy alta! —dijo la mamá de Lina.
—Podríamos ir contigo —ofreció el papá de Lina.
Pero Lina quería ir con Sitti ella sola.
—Abrígate, habibti —le dijo su papá.
Lina se cubrió bien.

Outside, the sun on the snow was as bright white as a light bulb.
Lina squinched her eyes and pulled her scarf over her nose. She could barely see.

Afuera, el sol en la nieve era tan brillante como el foco de una lámpara. Lina
entrecerró los ojos y cubrió su nariz con su bufanda. Apenas podía ver.

I wonder if this is how Sitti feels, Lina thought. The world sounded softer, but the noises she heard were clearer.

«Me pregunto si así se siente Sitti», pensó Lina. El mundo sonaba más suave, pero los ruidos que escuchaba eran más claros.

Scraaape, scrip, scraaape, scrip.

What was that?
It was Mrs. Watson's shovel digging out the sidewalk.
That's one way to hear snow, Lina thought.

Riiis, raas, riiis, raas.

¿Qué fue eso?
Fue la pala de la Sra. Watson escarbando sobre la banqueta.
«Esa es una manera de escuchar la nieve», pensó Lina.

Lina walked down the street.

Snyak, snyek, snyuk.

The noise was low to the ground. What was that?
It was the treads of Lina's boots crunching snow into
tiny waffles. Two ways to hear snow.

Lina continuó caminando.

Chac, chic, choc.

El ruido sonaba cerca del suelo. ¿Qué era eso?
Eran los pasos de las botas de Lina aplastando la nieve en
pequeños wafles. Dos maneras de escuchar la nieve.

Lina ducked under a pine tree.

Ploompf!

A powdery sound!
A blue jay on a branch had knocked down snow.
Three ways to hear snow, Lina counted. She listened for more.

Lina se resguardó bajo un pino.

¡Plaaaaaf!

¡Un sonido polvoriento!
Un arrendajo azul derribó la nieve de una rama.
Tres maneras de escuchar la nieve, contó Lina, y escuchó con más atención.

Swish-wish, swish-wish.

What was that soft, whiskery noise?
People were sweeping snow off their cars.
Their brushes made the fourth way to hear snow.

Chum-chum, chum-chum.

¿Qué es ese suave sonido rasposo?
Las personas estaban barriendo la nieve de sus carros.
Sus cepillos hicieron la cuarta manera de escuchar la nieve.

Lina cut across the park.

Lina cruzó a través del parque.

Scritch, scratch, scritch, scratch.

Zig, zig, zag, zag.

Another snow noise?

Lina saw long, skinny tracks by her boots. Ahead of her, people were skiing. Their skis made the fifth way to hear snow.

¿Otro sonido de la nieve?

Lina vio huellas largas y delgadas cerca de sus botas. Delante de ella, había personas esquiando. Sus esquís hacían la quinta manera de escuchar la nieve.

Rachid and Mariam were building a snowman.

Rachid y Mariam construían un hombre de nieve.

Pat, pat, pat.

Plaf, plaf, plaf.

What was that?
It was mittens smoothing the snowman's head.
The gentle sound made the sixth way to hear snow.

¿Qué fue eso?
Eran los guantes aplanando la cabeza del hombre de nieve.
El sonido suave hizo la sexta manera de escuchar la nieve.

As Lina walked away, her friends whispered and laughed.

Mientras Lina se alejaba, sus amigos murmuraban y reían.

Thwomp!

Oh no!
Lina ran away fast from the seventh way to hear snow.

¡Cataplúm!

¡Oh no!
Lina escapó rápidamente de la séptima manera de escuchar la nieve.

Stomp, stomp, stomp.

Lina giggled. *She* was making the
eighth way to hear snow.

Clanc, clanc, clanc.

Lina soltó una risita. *Ella* estaba haciendo la
octava manera de escuchar la nieve.

Lina reached Sitti's building all out of breath,
her boots covered with white powder.

Lina llegó sin aliento al edificio de Sitti,
sus botas cubiertas de escarcha blanca.

"Hello, Lina," the lady in the lobby said. "Go on in." She pointed toward Lina's grandma's room.

—Hola, Lina —dijo la señora del recibidor—. Pasa. —Señaló el cuarto de la abuela de Lina.

Lina tapped on the door.

Lina tocó la puerta.

"Surprise, Sitti! It's me! I came to make grape leaves with you!"

—¡Sorpresa, Sitti! ¡Soy yo! ¡Vine para hacer hojas de parra con usted!

Lina threw her coat and mittens on the radiator to dry.
"Wonderful! The lamb and rice are ready," Sitti said

Lina aventó su abrigo y sus guantes al calentador para secarlos.
—¡Fabuloso! El cordero y el arroz están listos —dijo Sitti.

"Yalla, I can't wait!" Lina shouted. "Let's get started."

—¡Yalla, qué emoción! —exclamó Lina—. Vamos a empezar.

Lina rinsed the grape leaves and placed them on towels.

Lina enjuagó las hojas de parra y las puso sobre servilletas.

"Put some filling in the center, roll them up, and put them in the pot," Sitti instructed.

—Pon un poco de relleno en el centro, enróllalas y ponlas en la olla —le instruyó Sitti.

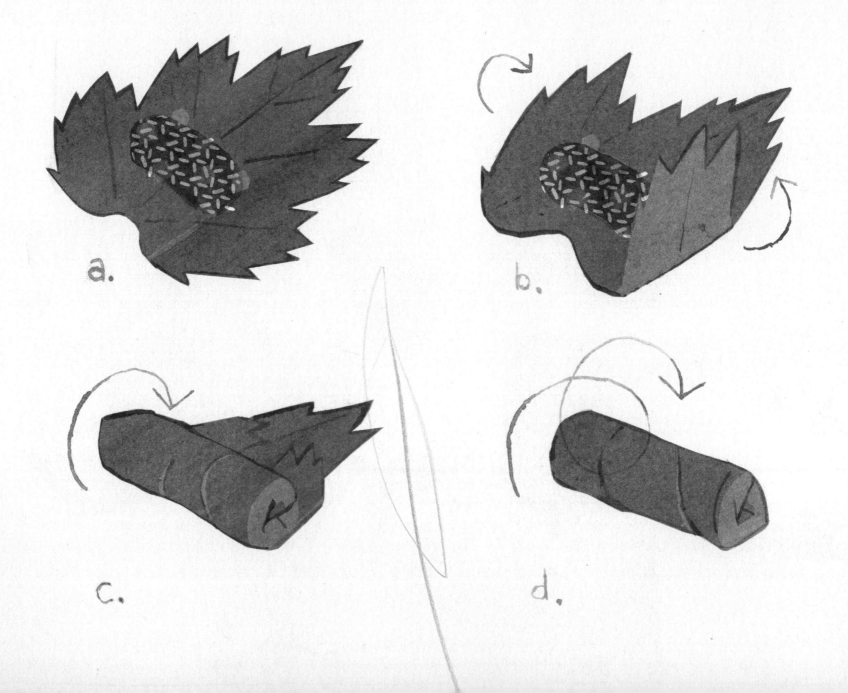

a.

b.

c.

d.

"They're like little grape leaf cocoons,"
Lina said, looking at them piled on the plate.
"Or lots of little sleeping bags," Sitti replied.

—Son como pequeños capullos de parra —dijo
Lina, viéndolos apilados en el plato.
—O un montón de saquitos para dormir
—respondió Sitti.

"Ha! Mine looks like a mustache!" Lina held her stuffed grape leaf under her nose.

—¡Ja! ¡El mío parece un bigote! —Lina puso su hoja de parra rellena bajo su nariz.

Sitti held hers under her nose too. "That's good!" She wrinkled up her face and said, "We look like a coupla real tough guys," in a tough-guy voice.

Sitti también puso la suya bajo su nariz. —¡Qué bien! —Arrugó su cara y, con voz de chico malo, añadió—: Parecemos dos tipos de cuidado.

"Sitti, did you know we had a blizzard last night?"

"Of course."

Lina was surprised. How could her grandma know, when she couldn't see very well?

Then she heard a noise.

Drip, drip went the mittens. It was the sound of snow melting. Nine ways to hear snow!

Suddenly, Lina understood how Sitti knew.

"Sitti, did you *hear* the snow?"

Sitti smiled. "Each morning I open the window and listen. Today everything sounded hushed and soft. No noise is the sound that means it's snowing."

—Sitti, ¿supo que tuvimos una tormenta anoche?

—Claro.

Lina estaba sorprendida. ¿Cómo podía saberlo su abuela, si no podía ver muy bien?

Entonces escuchó un ruido.

Ploc, ploc gotearon los guantes. Era el sonido de la nieve derritiéndose. ¡Nueve maneras de escuchar la nieve!

De pronto, Lina entendió cómo lo supo Sitti.

—Sitti, ¿usted *escuchó* la nieve?

Sitti sonrió. —Cada mañana abro mi ventana y escucho. Hoy todo se escuchaba callado y tenue. El silencio es el sonido que significa que está nevando.

"Sitti, I listened too. I heard snow nine different ways. Shovels
were one, boots were two, the blue jay was three . . . "

"Slow down, habibti. I want to hear them all. But right now,
shhh . . . " Sitti went to the window and opened it again.

"Listen," she said.

Outside, the late blue afternoon was completely still.

—Sitti, yo también escuché. Oí la nieve de nueve formas distintas.
Las palas fueron una, las botas dos, el arrendajo azul tres...

—Despacio, habibti. Quiero escucharlas todas. Pero justo
ahora, shhh... —Sitti fue a la ventana y la abrió de nuevo—. Escucha.

Afuera, la tarde azul estaba completamente quieta.

"Quiet is the tenth way to hear snow."

—El silencio es la décima manera de escuchar la nieve.